ワノ国(光月家)

光月モモの助
【ワノ国 九里大名(跡取り)】

"赤鞘九人男"

狐火の錦えもん
【ワノ国の侍】

傳ジロー
【元両替屋狂死郎】

霧の雷ぞう
【ワノ国の忍者】

残雪の菊之丞
【ワノ国の侍】

アシュラ童子(酒天丸)
【頭山盗賊団 棟梁】

横綱河松
【ワノ国の侍】

イヌアラシ公爵
【モコモ公国 昼の王】

ネコマムシの旦那
【モコモ公国 夜の王】

夕立ちカン十郎
【ワノ国の侍】

光月日和(小紫)
【モモの助の妹】

トラファルガー・ロー
【ハートの海賊団 船長】

不死鳥のマルコ
【元白ひげ海賊団1番隊隊長】

イゾウ
【元白ひげ海賊団16番隊隊長】

お玉

しのぶ

花のヒョウ五郎

キャロット

ワンダ

キッド海賊団

ユースタス・キッド
【キッド海賊団 船長】

キラー【人斬り鎌ぞう】
【キッド海賊団 戦闘員】

百獣海賊団

情報屋

スクラッチメン・アプー
【オンエア海賊団 船長】

百獣のカイドウ

【四皇】

幾度の拷問・死刑においても誰も彼を殺せず、「最強の生物」と呼ばれる海賊。

【百獣海賊団 総督】

大看板

火災のキング

疫災のクイーン

旱害のジャック

飛び六胞

ブラックマリア

フーズ・フー

真打ち

バジル・ホーキンス

バオファン

ページワン

うるティ

ササキ

NUMBERS

四鬼

五鬼

七鬼

八茶

九忍

十鬼

フィと会い、共に戦うことを誓う。そして屋上では、ルフィとカイドウの一騎打ちが始まる!!だが四皇の壁は高く、ルフィはカイドウに敗れてしまう。ルフィ復活を信じて戦いを続ける仲間達は、幹部と激闘を繰り広げ、飛び六胞を撃破する!!そこへ待望のルフィが復活し、龍になったモモの助と共に、再びカイドウのいる屋上を目指す。そこではカイドウとヤマトの親子が対決中だったが、ヤマトが徐々に押され危機の瞬間、遂にルフィ登場!!

ビッグ・マム海賊団

ビッグ・マム
シャーロット・リンリン【四皇】

〝四皇〟の一人。通称ビッグ・マム。寿命を抜き取る〝ソルソルの実〟の能力者。

【ビッグ・マム海賊団 船長】

C・ペロスペロー
【シャーロット家 長男】

ワノ国(黒炭家)

黒炭オロチ

カイドウと手を組み、ワノ国を支配。光月家に恨みを持ち、狡猾に立ち回る。

【ワノ国 将軍】

黒炭カン十郎
【オロチの内通者】

百獣海賊団を離脱し、ルフィと共闘へ!

X・ドレーク
【元飛び六胞】

ヤマト【自称:光月おでん】
【カイドウの娘】

福ロクジュ
【元〝お庭番衆〟隊長】

ホテイ
【元〝見廻り組〟総長】

オロチお庭番衆
【元ワノ国将軍直属忍者部隊】

ダイフゴー

スピード

ハムレット

フォートリックス

ブリスコラ

ミゼルカ

ポーカー

お玉の能力で百獣海賊団から寝返る!

Story ▪あらすじ▪

2年の修業を経て、シャボンディ諸島に再集結を果たした麦わらの一味。彼らは魚人島を経て、遂に最後の海〝新世界〟へと辿り着く!!

ルフィ達はモモの助達と同盟を結び、「四皇カイドウ撃破」の為、ワノ国へ上陸。同志を集め、鬼ヶ島へ突入する!!島内各地で戦いが始まる中、カイドウの娘・ヤマトはル↗

ーワンピースー
ONE PIECE
vol.102
〝天王山〟

CONTENTS

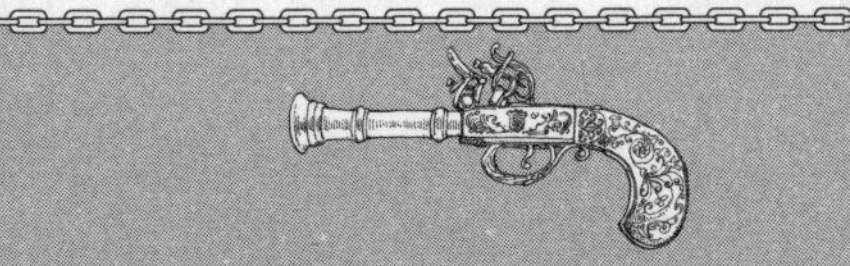

第1026話 〝天王山〟

扉絵リクエスト「子ライオンにかわいい服を作ってあげるナミとレオ」P.N 恵比

ワノ国「花の都」──
わあああああああ…!!
ドンチャン♪
わいわい
ドンチャン♪
がやがや
ドンチャン♪
わはははははは!!
わい
わい
楽しいか?
おトコ
うん!!
がや
がや
わい
わい
………
どこへ行く!!
お玉ァ!!
ドンチャン♪
ぎゃはは
許してけろ!!
お師匠様

いてもたってもいられないでやんす!!
私達が必ずお守りします!!
いかん!!引き返せ——!!!
ドドオォォ…!!
ギャー
……
わははは
ドンチャン♪
お玉は無事なのか
ゴゴゴゴゴ…
ドンチャン♪
ドンチャン
わい わい
海の向こう…知る術もない
ゴロ
ゴロ…
!!
ドンチャン♪
わい わい
ゴロゴロ…!!
謎の龍について報告します!!

現在屋上には
傷ついたヤマトぼっちゃんが一人!!
ゴゴゴ…!!
そして上空に…信じ難い光景…!!

ドドーン!!
二匹の龍が対峙!!!
カイドウ様の青龍に対し!!
桃色の龍に乗る海賊
"麦わらのルフィ"!!
あんな怪物になれるものなら
いくらかみんなの役に立つのに…!!
……!!
正体は不明!!
カイドウさんを止めてたのはヤマトか
敵である事は間違いありません!!

ゴゴゴゴ…
火の息でござる!!
ゴゴゴオ
よし!!お前もなんか吐け!!!
何をだ!!ムリでござる!!!
〝熱息(ボロブレス)〟!!!
ぎゃあああ

ち……ちがう!!せっしゃは
戦いに来たのではない!!
おいモモ!
ん!?

ええ⁉
待てルフィ
ムリムリ‼
ムリで
ござるぞ‼
プクー‼
だぶんっ‼
〝ゴムゴムの〟
………‼
〝象銃〟
‼
ドゴオ
ン‼
‼
カイドウに
噛みつけ‼
おい
モモ‼
………
………‼
ムリムリ
ムリムリ
………‼
‼

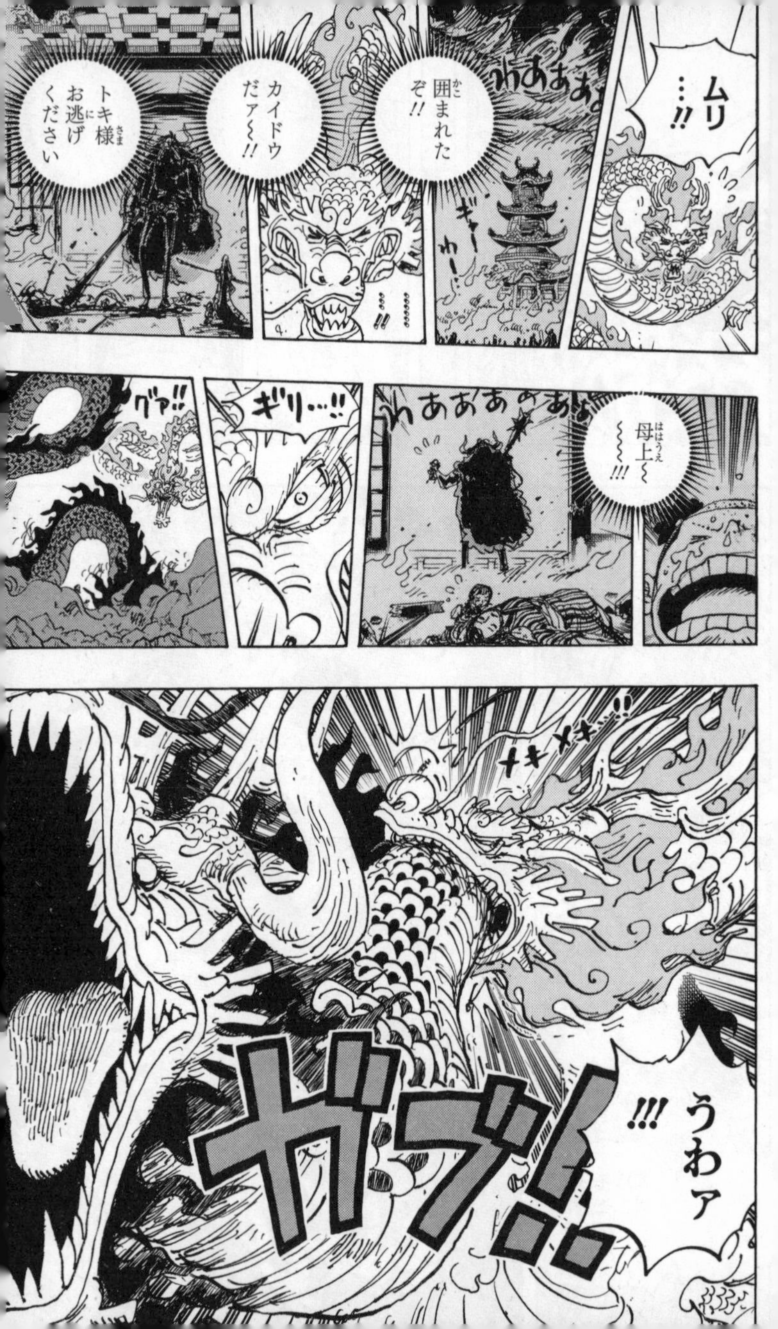

ムリ…!!
わあああ
囲まれたぞ!!
ギャ〜〜!!
カイドウだア〜!!
……!!
トキ様お逃げください
わあああああ
母上〜〜〜〜!!!
ギリ…!!
グア!!
メキメキ…!!
うわア!!!
ガブ!!

お前の父は
バカ殿だ…!!
うわあ
あああ
あん!!
ああああぁ
ぐドゥドゥ…!!!
メキ
メキ

何してる
小僧ォ!!!
ゴゴゴゴ
ギロッ
!!!

お前が
「ワノ国」を
めちゃくちゃ
にした!!
お前さえ
いなきゃ
ギロ!!
父上は
……!!
母上は
……!!
離れて
モモの
助く…!!
ヤマト
!!?

そうだモモ〜〜〜!!!
ドン!!!
ウゥ!!
ドゴォン!!
龍は"雷雲"を呼ぶ…!!
ゴゴゴ…!!
ドーム内「宝物殿」
今宵の月はもう見納めだな…
ハァ… ハァ…
ゴゴゴゴゴ
ガララ…

…もう
一撃も
くらえば
おれは もう
立てなかった
かもな…!!
わあああああ
ドン!!
……
……
月を責める
な…!?
お前の運が
悪いんじゃ
ねエ!!
ペロリン♪
おれの運が
強すぎた
だけだ
ネコの親分!!
……
…!!
ドン!!
ネコマムシ
の旦那!!
〝月の獅子〟が
解けちゃった
わあああああ
わあああああ
モモ!!
え!?
モモの助
様!?
!!

…………!!
ガラア…
お前が噛みついたのは「四皇」だぞ!!
この世にまだ
恐ェもんがあんのか!!?
!!!!
!
…………!!
…………
行け!!お前は飛べる!!
おう!!
鬼ケ島止めて来い!!
ああああ
ない!!!
〝モモ〟って言ったよな
ああまさかあの龍……!!
いやバカな……!!
な…

カイドウにはおれが!!
必ず勝つ!!!
オオオオオ!!
オオオ
マ〜〜ママママ!!
聞いたか!?面白ェ男だね!!
当然の話だろ
どこで何してやがった

ドオ
ルフィ太郎さアん!!
モモの助様ア〜〜〜〜!!!
ウオオオ

アニキ……!!
もも君〜!!
オオオオオ
ガハハハハ!!
やっちまえルフィ!!!
オオオオオー!!
ルフィ太郎さ〜ん!!!

…………

おれに勝てる可能性でもあんのか!?
バリバリバリ…!!

生きてんだから
無限にあんだろ!!

オ
ン!!
バリバリ…!!
報告します!! 天が…
割れ……

ド
!!?
バン!!
何も言うな……!!
!!
運はどっちにあるかにゃあ…?
おわああ〜〜!!
"おでん一刀流"

〝猫笑衝突(ネコニコバーン)〟!!!
ジオウ!!!

ぐおおおオ〜〜〜!!!

"ビッグ・マム海賊団"長男ペロスペロー
撃破!!
"百獣海賊団"大看板
"旱害のジャック"撃破!!

ハァ…ハァ…
……

"犬斬威矢"!!!

ウソだろ…ジャックの奴が…!!
……いやわしには関係ねェか……!!!
ベん!

（奈良県　藤本孝久さん）

D（読者）：もう！ みんな！ たまには尾田っちに「ＳＢＳを始めます」って言わせてあげようよ！ ほら尾田っち！
(0.1秒)はい、というわけで**ＳＢＳが始まりました!!**

P.N.谷戸すみたろう

O（尾田）：**S…!!? 始まってんじゃーん!!**
0.1秒じゃムリじゃーん!!?

D：**幸せパンチのフィギュアが欲しいです。**　P.N.ノブオ船長

O：**やかましいわァ!!?**
何だしょっぱなから!! フィギュアは360度回せるからアウトだろ!!

D：ルフィとキッドとローがじゃんけんしたらだれがかちますかみらいがみえるからルフィですか

（ルフィとキッドとローがじゃんけんしたらだれがかちますか？みらいがみえるからルフィですか？）

P.N.たいせー（6歳年長）

O：はい〜。これはすごいしつもん！ たしかにルフィはミライがみえるからかっちゃうかもねー！
だけどルフィはずるいことするのがキライだからミライはみないとおもうよー。この3にんはなかがわるいからだれがかってもケンカするとおもうよ！

D：尾田先生へそ！ エネルが実際、青海で海賊になったらどんな海賊旗を掲げるのでしょうか??
とても気になります。こんな？➡　P.N.しば

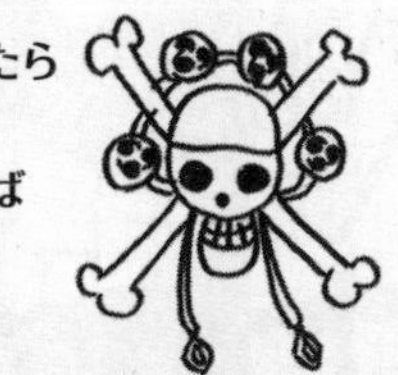

O：あ、いいよそれでー。

第1027話

〝想像を超える危機〟

扉絵リクエスト「ライオンの顔に落書きしたロジャーが愉快に逃げるところ」P.N 智規屋

ネコマムシの旦那!!
おォ気いつけや〝月の獅子〟になるぜよ
どういうわけかのう
すっかり月が出ちゅうぜよ
わあああぁ…
ドドッ
がばっ!!
ゴゴゴゴゴ
ゴゴゴ…
日誌で読んだ…!!
ドーン!!
ロジャーと白ひげが
激突した時
バリ
バリッ…!!

天が
割れたって!!!
ドン!!

おい何の衝撃だ!!?
ガララ…!!
わあああああああ
うわァ!!!
上で一体何が!?

ドドン!!

あ…
雷鳴八卦…!!
ボタ
ボタ…
防御しきったつもりが完全には無理だった
ヤマ男!!!
!!
あの根性なしを助けてくれ!!!
ば──ん!!
だ…誰が根性なしだ──!!
いい加減にしろよ!!モモ!!
だまれ!!頭ではわかっておるのだ!!!
人がそう簡単に変われると思うなー!!!
大丈夫だよモモの助くん!!
僕がついてる!!さっきはごめんね君の下を離れて!!
がばっ!!
!!?
ヤマト……!!
おいヤマト!!モモの助

どこへ行く気だア!!!
ゴォ!!
!!!
ギャアアア〜〜〜!!!

力をくれ錦えもん!!菊!!拙者は必ず…!!
モモの助様を連れて逃げろ!!

ガタガタ…
ガラッ

…………………!!
ガララ…!!

急げモモの助君!!
ガ
キン!!
ギャアア〜〜!!!

ぐるるん
ぬウー
ーー!!!
ウ!!
!!
がじっ!!
ヤマ男!!
わかってる!!
一人でやりたいんだろ!!?
!!
かわあああああ
モモの助君!!
わああぁ死ぬ〜!!!
ひゅ
ううう!!
空をつかめ!!
つかむ!?
〝龍〟は飛ぶんじゃないよ!!
にっ!!
ああ!!!

え!?
雲を生み出し
ぼわん!
わし!!
雲をつかみ!!
ぐぐっ!!
空を駆ける!!!
ドォン!!
それが"龍"だ!!!
飛べたア!!!
その雲の名は"焔雲"!!!
え
ガララ…
島から離れて!!!
ひーーっ!!!
シャアン!!

ゴ
え!?
ゴゴゴゴ
島が崩れ始めてる!!!
ガラガラ…
えエ!!?
ガララ…

まさか……
ゼェ…
ゼェ…
カイドウの力が…
弱まってる…!?
〝焔雲〟が不安定で
ヒビ割れた岩盤を支えきれなくなってる!!

こんな危なっかしいもの!!
"花の都"へ行かせるかァー!!!
!!
拙者この島を止める為に大きくなったのだ!!!
ドォン!!
無理だよモモの助君!!
え!?
しかし!!時間がない!!みろ都がもう
あんなに近くに!!!
もう5分と経たずに到着してしまう!!
じゃあ"焔雲"を出すんだ!!巨大な龍の様な雲で
それを押し返すにはそれより強い"焔雲"を出すしかない!!!
ゴゴゴ
カイドウはこの島を動かしてる!!!
無茶を言うなそんなもの出せぬ!!今やっと飛べた所でござる!!

それに拙者にカイドウと同じ力があるとは限らぬ!!
"焔雲"は出せただろ!?やれる筈だ!!
!!
事態は僕らの想像より深刻だった……!!
――このままカイドウの思惑通り着陸したとしても
都に多くの犠牲者が出る!!!
最悪なのは万が一カイドウ本人が力尽きた時
"焔雲"は消え「鬼ヶ島」は地上に叩きつけられる!!!
「鬼ヶ島」の内部には信じられない量の兵器がある…!!
火薬もある!!
!!!
この「鬼ヶ島」は巨大な爆弾と同じさ!!
もうこの距離じゃ
都の人達の避難だって間に合わない……!!
ドンチャン♪
ドンチャン♪
わいわい
わははははは
!!!

島が落下すれば…‼敵も味方も全滅だ‼︎
え…
じゃあルフィを止めねば…‼
ばかーっ‼︎
ギエー‼︎
ゴン‼︎
全てを背負って……‼
ギリギリで立ってる男にキミは……‼︎
ルフィじゃなきゃカイドウは倒せない‼
彼にこの状況を伝えるべきじゃない‼
‼
ドンチャン♫
ドンチャン♪
誰にも知られずこの危機を乗り切るんだ‼︎

ドクロドーム「ライブフロア」
ギャア ア〜!!!
ズババババ
伏せろ キング様がブチ切れモードに!!!
ギャア
ギャ
ギャ
ズバ
パン
ズバン
ガギギギ
ぬぎぎ…!!
ドゴオン!!
ぐあ!!
ギャア

ん？
キュイン!!
ひゅううう
あ!?
うおー!!
ガしっ!!
ゾロォ――!!?
どうした
お前!!

ハァハァ…
アレは
強ェな…
そりゃ
そうか
……!!
フロアで
何が
起きてんだ
わあああああ
手伝う
か？
イヤ
いらねェ
……!!
ゼェ…
ゼェ…
ゼー
ゼー…

てめェキング〜〜〜!!!
無差別攻撃やめろ!!
ケツ切れたわ!!
首でも切れりゃ良かったたな
あアア〜〜〜!!?
海賊狩りのゾロが
ギャー
わ!
わあああああ
ギャー
キングさんのマスクを傷つけやがったんだ!!
ああ…それキレるんだよなァ
キングさんの素顔…
ゴゴゴゴ
カッ
コッ
誰も知らねェもんな…
ドン!!

悪イ
フランキー
離れてろ……!!
だだっ!!
よしきた
ガンバレ!!
〝丹弓〟!!
ド
ン!!!
〝三刀流〟……!!
〝極〟
〝皇〟!!!
ギィン!!!
〝虎狩り〟イ!!!

ズバッ!!
!?
ボゴォン!!!
!!
ドャン
バコン!!

ズゴォォン!!
!!!
キュイン!!
は!?
ガフッ!!

待てえ!!?
!!!
ドン!!

落ちる!!
"二刀流"
"空狸槍"
う
ハー……
ハァ!!
どどっ!!
ハーハー
ゼーゼー……
危ねェ……!!
せめて剣で死なせろ…!!
許さん!!!

貴様もな…!!!
ドン!!

〝ブラキオ蛇ウルス〟

第1028話

城内「来賓の間」
ウソをついてるとでも!?
ぺん♫
ぺぺん♪
——そうは言ってない
ぺん♫
カイドウとは違う二匹目の〝龍〟が目の前に現れたんだぞ!!
アレはベガパンクの作った〝悪魔の実〟に違いない!!
わあああああああああ!!
ボコォ…
ギャー
わー
〝麦わらのルフィ〟と共にいた!! つまりカイドウの敵対勢力だ
結構じゃないか…どうせ海賊の潰し合い
……フン!! 何の用でかけて来た?
〝上〟から指令が下った
万に一つ…カイドウが敗北した場合…!!
ぺぺん♪
ぺん♪
わああ

世界政府"非加盟国"「ワノ国」は
ゴゴゴゴゴォ…
政府が直接支配下に置く事になった…!!
!!
艦は「ワノ国」に向かわせているが…可能性は?
パチン…
開戦時 3万 VS. 5400
わあああああああああ…
ドゴォーン
現在 1万2000 VS. 8000
●12 カイドウ軍
○8 侍軍
やる事がどうも海賊と同じだな
正直面白い戦いではあるが
カイドウが倒れる姿は…想像できん……!!
……だろうな 報告を待つ…
もう一つ指令がある
?
"麦わらの一味"…!!

ニコ・ロビンを
連行しろ!!!
ドン!!
世界政府諜報機関
サイファーポール"イージス"ゼロ
ROB LUCCI
ロブ・ルッチ
勝負がどう転んでも
あの女の存在は
海賊達の"鍵"になる
ニコ・ロビンだぞ!!
殺すな捕らえろ——!!
確かに……
了解した
頼もしいのね!ブルック
ヨホホホ!!
調子に乗っちゃいまーす♪
わあああ
ギャー

ワノ国上空「鬼ヶ島」
ヤマト〜〜〜!!
出ぬぞ〜〜〜!! 雲!!
「花の都」到達まであと―― 5分!!
コクでござる!! 一人にするなど!!
いや!! 弱音をはくな!! モモの助!!
やれる!!
いやムリ!!
いややらねば!!
ぽん!

ゴゴゴゴ…
いでよ!! ほむら雲〜〜〜!!!
ぽん!
いでよ――!!
ぽん!
拙者がやらねば………!!!
おおぜいの人が死ぬ――っ!!!

落としてなるものか!!
ゴゴゴゴオ…
こんな大きな爆弾を〜!!
ドンチャン♪
ドンチャン♫
わははははは…
わいわい
ハァ
ハァ
ガガガガ…!!
ザッガッ
ガッ!!
ハァ…ハァ…
いいかいモモの助君!!
ハァ…ハァ…
僕は“最悪の事態”の被害を
最小限に抑える為に「ドクロドーム」へ戻る!!
え!?

ドームの地下にある巨大な武器庫に
無数の爆薬がある!!
それを何とか始末しないと
もしもの時被害は何倍何十倍にもなる!!
!!
えー!?までヤマト!!
置いてゆくのか〜〜〜〜〜!?
ばっ!!
頼んだよモモの助君!!
ハァ…ハァ…
!?
ボン
君なら必ずやれる!!!
うわ!!でっけェ狼っ!!!

ドーム内「ライブフロア」
わあああああああああ
ドゴォン‼
ギャー
ムハハハハ‼
止まねエだろォ〜〜〜〜⁉?
〝風来拳〟‼‼
………‼
ゴン‼
ガン
ガゴン‼
オラ出せよ〜〜〜‼
ブン‼
わ‼
ズン‼
重い…‼

〝ジェルマ66〟の戦闘スーツ!!
ガシャアン!!!
バキ
!!!
………!!
ザラララ…
サンジ──!!
さっきキングを相手に見せたよな!?〝戦闘スーツ〟!!
確かに…消えたよな!?あれはジャッジの科学力だろォ!?
──ん?やっぱり体に異変が…
さァスーツを着ろ!!ヴィンスモーク!!
その名を呼ぶなっつってんだろ家庭の事情も知らねェで!!!
いや家族でもねェ着るかあんなスーツ!!!
ブラ〜〜〜ック!!
キュイーン!

〝光火(コーヒー)〟
ピュッ!!
!!!
ズズッ
!!?
ドン
〝悪魔風(ディアブル)脚(ジャンブ)〟…!!
!
ドォ
〝熟焼(ビアン・キュイ)〟
〝グリル=ショット〟!!!
ジュワッ!!
!!!

ドガガガガ〜〜!!
うおおおお!!
ギャア〜〜〜!!
ガ
ガ
ハア…ハア…
ドシイン!!
ムハハハハ
何とかならねェのか……この恐竜の頑丈さ
シュ〜〜…
ドン
生身の蹴りにしちゃ上等だ
じゃあ おれも改造なしの"恐竜"の本気を見せてやろうか!!
QUEEN

一億年以上世界を支配した
王者の力!!!
キーーン!!
シャ
!?
出るぞ太古の生物の実力が!!!
うおおお
パン!!
"ブラキオ蛇ウルス"!!!
ズポーーン!!
え〜〜〜〜!!?
そういう仕組み!?
えええええ
ええええ

ブォえええ!!!
え〜〜〜〜!!?
えええ…
うわ!! しまった!!!
ギュルルル!!!
ぐわあァ〜〜〜〜!!!
ギリ ギリ
ムハハハハ!! 油断(ゆだん)したなァ!!!
ブラキオサウルスとはこういう恐竜(きょうりゅう)だ!!
メキ メキ…
ミシ ミシ…
バァン!!!
そうだったのか!! くそォ…!!!
この"ブラキオとぐロス"から逃(のが)れた者(もの)は
ウ
ミシ ミシ
未(いま)だかつて一人(ひとり)もいねエ!!!
わあ
サン五郎(ごろう)さん!!

いかなる“武装色”の達人達も…
……ぐ…
ギシギシ
バキボキ
この圧力で骨は砕け内臓は潰れ
皆再起不能となる!!
やべェサン五郎さんが死んじまう!!
あっけねェなジャッジのせがれ!!
お前がジェルマの力を見せてくれんなら
放してやってもいいぜェ?
断る…
ボキ!!
うわあああああ!!
ば————ん!!
ジャキン!
ジャキン!
アレを見ろ!!
普通のブラキオサウルスなら
残った足は文字通り“蛇足”だが
おれは科学者!!
胴に「ブラキオランチャー」を装備!!
おれがその名を叫べばてめェ目掛けて…
おオウ!!!
違う今のは説明…
クイーン様〜〜〜

バッキャロー!!!
ちゃんと技名の様に「ブラキオランチャー」と………
チュドーン!!
おおふウ!!!
クイーン様〜〜〜!!
ドサ
ウ
ガシャ
ア
だが…締め技は完了だ
てめェはもう…死んでいる
それが…痛ェんだが…
普通に動けるんだ…!!
どん!!
ガラ…
え──!?どうしたんじゃサンジ
大丈夫か──!?
こえ〜〜〜サンジ──!!!
ゾンビになったのか──!?
全身の骨折れてるぜサン五郎さ──ん!!

ガン!!
ゴン!!
ガン!!
何だこの体……!!
まさか…あいつらと同じ力が目覚めたんじゃねェよな…
ガン!!
このガキィ!!!
ゴオ!!
戻った……!!
サンジ!!ぼーっとするな後ろじゃ〜〜〜!!
!!!?
いて
バキィン!!
いやだ!!あんな怪物になるのは…!!!
え
はァ!?
ガビーン!!

SBS質問コーナー

（岐阜県　伊藤健太郎さん）

D：龍になったモモの助とカイドウが対峙した場面、大迫力で興奮しました!!! この場面って以前おだっちが取材に行ってた建仁寺の双龍図がモデルになったんでしょうか!?

P.N.つぼっち

O：そうなんですよ〜。ワノ国入る前に京都に行きましてねー。生で見て来ましたがでかい龍が2匹天井にどーんと描かれてて大迫力でしたねー。絶対描くぞコレーって思いました。

D：フランキーってどうやって寝てるんですか？　P.N.元旦生まれ

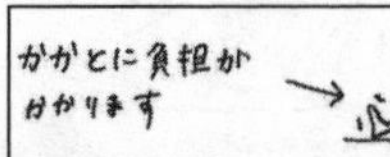

O：わかり易い図解ですね笑。これは大丈夫なんです。フランキーは後頭部と腰のあたりから「フランキーエアバッグ」というクッションを出す事ができるので、どんな場所でも快適に眠れるんです。

D：フランキーの腕の線は毛なんですか？　P.N.たかたか

O：毛なんです。

D：ゾロが1010話で使用した「九刀流阿修羅抜剣亡者戯」は落語の「地獄八景亡者戯」からつけたものですか？

P.N.ケーマ

O：そうですー！　おなじみ落語ネタです〜。わかってますーみんな聴かないんでしょー！タイトルかっこいいでしょう!? 桂米朝師匠が得意とした演目で、地獄を観光する様なお話で、面白いんですよ。

第1029話 〝塔〟

扉絵リクエスト「ボニーとラッコのわんこそば対決」P.N ありんこ

ガラン!!
わあああああああ
ズズン!!
クイーン様の刀が折れた!!!
うおお
今…"首"にヒットしたよな…!!
「武装色」!? 何にしてもあり得ねェ………!!
覇気なんて使ってねェよなァ…
確かに昔ジャッジは言ってた!!

人間に「外骨格」を…!!
異常な「回復力」を…!!
「腕力」を…!!
ピカーッ!!
そして何も感じない
「氷の心」を!!!

刀を首で折るなんてすごいのうサンジ…!!!
いやおれは……!!
……………!!
あんな血も涙もない怪物になんて
ドン
なりたくねェ…!!!
ド
おわーーちょっと待ってくれ!!
ズズゥン!!
ムハハハ!!
おれの身体に何が起きてる!?
振り返れおれは何をした!?
ボフォン!!!
考える時間をくれ!!
このままおれは…!!
わあああああ
心を失うのか!!?
サンジーー!!?
様子が変じゃの
ドォーン!!
あああ

〝麦わらの一味〟だ!!
ドカ
ギャアアアア
何かブツブツ言ってんな
スキありだ撃ち殺せ――!!
〝黒足のサンジ〟だな!!?
ドドドン
討ち取ったりィ〜〜〜!!!
ガガガン!!!
!!!
おっしゃ当たっ…
痛ェな!!
ギロ!
え――――!!?
うおー!!
ボガァン
ムハハ着ろ!!戦闘スーツ!!
もっと見せろジェルマの科学!!!
ズズゥン!!

城内2階──
おい!! 何が起きてんだ!?
あああああああああああ
マ〜〜ママハハハ!! どうした
偏頭痛かい!?
キッドォ!!!
いくよヘラ!! ナポレオン!!
ハーイ♡ ママ♡
バリ
バリ
ユースタス屋!!
!!
………!!
ド
ン

ゼン!!ゼン!!
くそ…
ハァ
何やってんだ役に立たねェな!!
ハァ
〝シャンブルズ〟
ぱっ!!
ん?
〝カウンターショック〟!!!
ママー!!
ギャン
ぎゃあああ!!
……………
ハァ…ハァ…
よくもママを〜〜!!
!!
うわァ!!!
〝盗まれた火〟!!!
ボォ…!!

ガガガガ
ルルル
マ〜〜ママママ!!
バリバリ
ガン!!…ガン!!
〝ママ急襲(レイド)〟!!!
ガギィン!!
!!!

……!!
ゴゴゴゴ…
ん?

ハァ…ハァ…
ヨロ…
頭痛!? 違う…!! 何が起きてんだ おれに!!
やっと…「四皇」に辿り着いたんだぞ……!!
ザン!!
これで死んだら 何なんだ おれの海賊人生……!!
マ〜〜ママ ハハハ!! 面白いね キッド!!
……!!
お前 放っといても 死ぬんじゃねェか!?
くそォ…
城内3階── キラー VS. ホーキンス
オ…
やめろォー!!!
ゴォオオオ
ギャー
わー
ファッ ファッ ファ!!
……
ファ〜ッ ファッ ファッ!!
ザン!!
やめてくれ ホーキンス!!!

やめろ!! ファッ ファッファ!!
プッ… ハハハ
まさか〝スマイル〟を食ってたとは…!!
不幸の極みだなキラー!!
ファッ ファッ ファッ……!!
頼む…… やめろ……!!
キラーさん何でおれ達加勢しちゃいけねェんすか!?
何なんだアイツ 一人で柱に頭ぶつけてイカレてんぞ!!
ファッファッ 黙って言う事を聞けお前ら…
……
じゃあ何で戦わねェんすか――!!!
ゼェ…
ゼェ…
もどかしい…!!
火の手も迫ってる!! 早くここ離れなきゃなんねェのに!!
キッドを解放してくれ
ゼェ…
おれの命ならやる…!!!
ボタ…
ボタ…
……

ガン!!
!!
……
キラーさん!!
ビッグ・マムと戦ってるらしいなキッドの奴
ガン!!
念願「四皇狩り」成るか…野望がでかくて結構だ
ハァ
ハァ
だったら邪魔をするな!!
おれが邪魔ならその鎌で斬り倒せ!!
……!!
フフ…降参でも構わないおれから
カイドウさんに口を利いてやる
ガン!!
ガン!!
どの道お前達に勝ち目なんてない戦いだ!!
見ただろう!!?現実を!!
ゴッ!!
あいつらが古くからこの海に君臨する理由を!!
生物の本能で感じた筈だ!!!
勝てるわけがない!!
声を荒げるなお前は悔いてるんだろう…?
・・・あの時の選択を………!!
ガラ…!!
!!?

お前が死ぬと恐れた未来を
おれ達が生きてんだからな!!
ファッファッ
おれの部下になるのなら歓迎する
…………!!
やがてわかる後悔するのはどちらか!!
——ならおれも悔いのねェ様に
やってみよう……!!
!!
ガラララ…
一か八かだ……ハァ…ハァ…
お前に2つ質問がある…

もしお前が行・き・場・の・な・いダメージを受けたら
それはどこへ行くんだ?
ハァ…
ハァハァ…
ハァ…
………?
何を言ってる…!?おれの能力は理解してる筈だ…!!
おれへのダメージは全てキッドが受ける!!あいつのワラ人形がおれの体内にある限りな!!!

えエ!?
ホーキンスさんっ!!

うわああ!!!
ドパッ…!!
なぜ…おれの腕が切れた!!?
ダメージは全て…
キッドに
左腕はない!!!
!!?
質問2つ目
ズズズ
お前を守ってる……!?
!!!
おめでとう…!!
それが最後だ
しまった想定外…!!
こいつを取っちまえば…あと何人の命が
ハア…ハア…
"藁人形ズカード"
ばん!!
「死神」正位置

「消滅のカード」!!!
キョキョキョ!!!
ならば真っ当に消すまでだ死に損ない!!
!!
"斬首爪"!!!
!!!

ギャアア〜〜〜!!!
ぬあああああああ
〝藁人形〟が!!!
ズズゥン!!
!!!
ギイエ〜〜!!!
藁人形は死なん…!!
ぴっ
カードに従い…復活する!!
この戦いの決着を示せ!!!
ばん!
〝塔〟

〝刃音撃〟!!!
やった───!! キラーさん!!!
オオオ

ドサ…
ハア…ハア…

バ
ン!!
ホーキンスさ〜〜〜ん!!
「藁人形ズカード」"塔"その意味
……
どうした!? 急に元気になったね
キッドオ〜!!
「古きものの崩壊」
隠された意味——
ああ体が軽い…
「新しい道」
行け
相棒!!!
ド
ン

(東京都 保谷さん)

D：尾田先生へそっ！僕は昔からウソをつくたびに鼻が伸びてくんですけど、中々大好きなウソップほど長くなれません！そこで**鼻長さベスト5とウソップの長さを教えて下さい!!** P.N.トーイベーカリー

O：なるほど。色々と鼻長キャラの名を挙げてくれてますが、天狗山飛徹と、巨人族は抜きでいきましょうね。

では5位から！「**カク**」です！続いて4位は「**ウソップ**」!! ん〜残念。やはり身長差もあり、顔もでかいやつらには敵いません！ちなみにウソップの鼻は13cmです！そして3位は「**カタリーナ・デボン**」！2位は「**アーロン**」！そして長鼻チャンピオンは〜！「**バスコ・ショット**」!! 世界は広いです。この記録を更新する人は現れるんでしょうか!?

D：おナミの家来になりたいので、おナミが胸の辺りにぶら下げてる大きなきびだんご頂けませんか？ P.N.さなだっち

O：あ、さなだ君じゃないですか。あーきびだんごがほしいのね？おナミの…胸のねー…**帰れェ!!!** ゴム

第1030話

〝諸行無常の響きあり〟

扉絵リクエスト「軍隊アリの行列を踏まないように気をつけて歩くブルック」P.N 恵比

わあああ
お前は おそらく「海軍のスパイ」
ドゴォ

「岩戸の間」――
わあああ
だがこの際 それは どうでも いい…

問題は お前が カイドウを 討ちてェか
どうかだ!! アッパッパ!!

この戦いが 終わった時……!!
誰が 勝とうと 満身創痍よ!!
それを 叩き潰すなんて ワケはねェ…!!
………

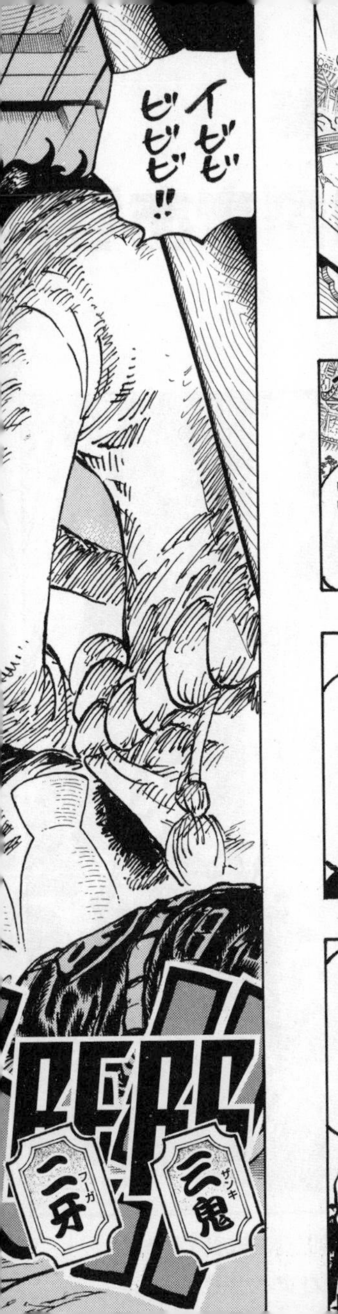
イビビ ビビビ!!
三鬼
二牙

わあああああああ…!!
ザキキキキ
ズズゥ～ン
どうだ
おれ達と
手を組んで
最後に全てを
かっ攫わ
ねエか!?
ファガガ
ガガガ
どっちにも
属さねエ
おれ達が
戦う意味なんて
あるか!?
…………
ドドン
一美

呆れたな…
そんなお前をおれが信用するとでも？
信用ならねエのはお互い様だろ!!
お前にも利があると踏んで話してんのよ!!
こんな"チャンス"は……
二度と来ねエぞ…!!!
わあああ
城内2階～1階階段
2
1
B1
B2
狛ちよしっかり～～～!!
えっほ
えっほ
急げ火事に巻き込まれるぞ!!
わあああ
あああ…

ギャー妖怪だァ〜〜〜!!!
ん!?
ばばっ!!
む!!
下半身のバケモノ〜〜〜!!
!!
どなたかお助け願いたブ!!
わ
は？
ギャ
ばん!!
ギャ
ドドドドドドド
待て待て何やってんだお前っ!!!
わばっ!!
むむっ!!何ヤツでござブ!!
錦えもんじゃねェか!!!
拙者は錦えもん!!味方を探してござブ!!
味方だ!!おれだよウソップだ!!

うわっ!!
べちゃ
すげェ出血!!
大丈夫かお前っ!!
ギャ
ウソップこっちの声は聞こえてないわよ!
耳は・・あっちだもん!!
そうだった
何やつ!!正体を明らかにせよブ!!
どうする?えーと
ドドドドド
えいっ
うひ♡
くいっ!
ん?
今のは…「反逆の三日月」!!?
同心とお見受けするブ!!
ならば頼みがござブ!!
……………
わあああ
ハムレット借りるぞ!!玉を頼む!!
すまぬブ!!どなたか存ぜぬがご同心っ!!
まったくおれはひっぱりダコだ
城内一階は向かって左手の塔に屋根裏への入口あり
ドド
ドド

仲間が かすかに 息をしており
どうか お助け 願いたく……!!
ゴオオオオオ!!

わあああああ
……
……

もう少し 耐えろ…!! 菊……今 同心に 会うたゆえ
──しかし 拙者も胴を 切断され 生きておる とは驚いた
ロー殿に 斬られた体 …ちゃんと くっついて いなかったか
"奇跡"…!! 何とか菊 だけでも 助かれば…
!!?
ザザ… おい…!! ザザザ
返事を しろ!!! カン十郎
──しかし カン十郎も もう 死んだ…
え…… まさか 首をはねた オロチの声 が……!?

はい…オロチ…さま
!!?
わああああ
虫の息だな…!!カン十郎
さすがに…もう終幕にござ…る
おお…ご苦労じゃった見事な舞台であった!!
ハァ…ハァ…何よりもありがたきお言葉…!!
聞こえるかお前へのこの歓声が……!!
……拙者への……?
わあああああ
そうだ…だがワシはまだ口惜しい…!!恨めしい…!!!先祖達は待っておる…
華々しきアンコールを……!!描いてみせよカン十郎…
わあああああ
黒炭家の燃ゆる怨念を
勝者は誰じゃ!!?
べべいん♪
根深き黒炭家の怒りは…
この城を練り歩き最後には
べんべん♪
……
奈落へ…奈落へと歩み…!!
べべん♪
ズズ…
どろろん
べべべん♪
行きづまる底が我らの「墓場」よ
わしらの魂を…!!鎮めてくれカン十郎!!

べべ
御意
どろろん。べべべぃん♪
ご覧に入れます…
最期の舞い「黒炭心中」が〝急〟!!
べべべん
べべべん‥♫
べんべん
どさっ…
!!
〝火前坊〟
バキバキ
ギャー——!!
触れるな燃えるぞオ!!
何だこの怪物はァ〜〜〜!!!
べべべん!!

わあああああああ…!!
報告ーー!!
城内2階にて得体の知れない巨大妖怪出現!!
えい!!とー!!
少しずつ…
妖怪は壁をすり抜け…!!
貯めていくしか……!!
ハアハア
何かの亡霊の様に移動中!!
ポン
ポン!!
ドン
ドッ!!
わあああああああ
ドンチャン♪
ドンチャン♪
城内はもう火の海です!!

逃げましょう!!戦ってる場合じゃない!!
わあああ　あああああ
わあああ
「光月」の援軍よ……
ぐふふふ……!!
海の皇帝よ……!!
驕れる者は久しからず……!!

知ってるぞカイドウ…城の地下の
巨大な武器庫…!!ワシが作らせた兵器達!!
ほじほじ
着火せよカン十郎!!全て吹き飛ばせ!!
早く来い福ロクジュ…!!
脱出じゃ!!海賊の戦争などワシらにはどうでもいい!!
ヤマトぼっちゃん!?
どこにい…!!
うわあああ!!
ドドド
武器庫は城の地下最下層
間に合うかなモモの助君…!!
少しでも島の進みを遅らせてくれ!!!
5
4
3
2
1

わあああああぁ…!!
ドォン!!
キィン!!
ドドドドド
‼
え
〝威国〟!!!
ドドォン
ガシャァン!!
!!!!
うおー
―――!!
……!!

マ〜ママハハハハハア〜!!
まずは一人目かねェ〜〜〜♡
ズドンニャアン!!
キッドォ〜〜〜!!!
おいトラファルガー…!!
お前の能力は「覚醒」してんのか?

──まだ慣れてねェ…死にかけなら使うが…
体力の消耗が尋常じゃなく戦闘の命取りになる!!

おれもそうよ…
このままじゃ
埒が明かねェ
〝取っておき〟
使って
援護しろ!!
!

ポウッ!
〝K·ROOM(クローム)〟

スウッ
〝麻酔(アナススィージャ)〟

タン!!
ヒュッ!!

サクリ
うえ!?

貫通に
意味は
ない…!!
ただし
〝K·ROOM〟
は……
内部から
〝波動〟を
生む!!

〝衝撃〟
〝波動〟!!!
ブヘェ〜〜〜!!
ドパァン
危ねェ!!
塔の鉄骨がむき出しに!!
〝磁気〟
!!!
ママァ〜〜〜!!
ママ血が出てる〜〜〜!!
おんどれクソガキィ〜〜〜!!!
「磁力」をやるよ
〝付与〟!!
ガチン!!
あれ?ママにくっつく!!
何だい磁石にでもなったのかおれは!!
うわ
武器奪われた!!
ギャー!!

バリ
バリ
は？
メキ…!!
ガラ ガラ
ヒュン
ヒュン!!
はァ!?
逃がせトラファルガー!!
命令すんな
ドガシャァン!!
ぎゃあああ～～～!!
〝激突〟!!!

PIECE

第1031話 〝科学の戦士〟

vol.102
ONE PIECE

………!!
て…!!
鉄骨に潰された

ゴゴゴゴゴ…!!
ビッグ・マムも…
死んだぞコリャ……!!
ガラララ…
ドン!!
どよ
どよ…

ハア…ハア…!!
ゼェ…ゼェ…!!
どうだ……!!
怪物ババア……!!!

"ジキジキの実"の覚醒は…
磁気の"付与"か………!! ハァ…ハァ
磁力はどのくらい持つんだ………?
ハァ…ハァ…
何でお前に手の内を明かさなきゃならねェ…!!

！
ガン!!
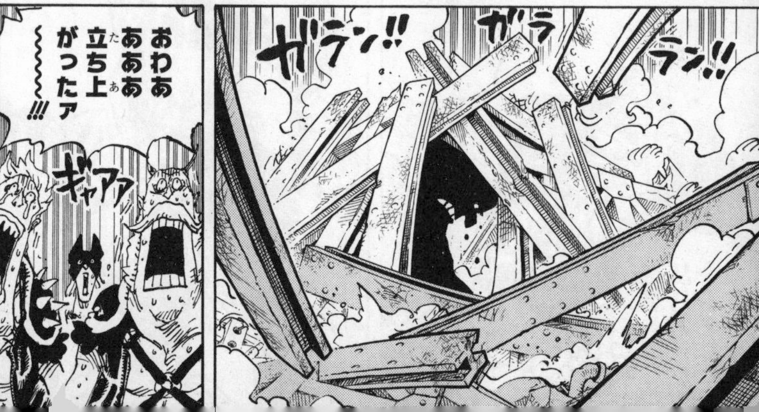
!!
え
ガシャァーン!!!
うわァア〜〜〜〜!!!
ガラン!!
ガラ
ラン!!
おわあああ立ち上がったア〜〜〜!!!
ギャアア

ゴゴゴゴ
"ライフ(寿命)"オア
"おしるこ"オ……!!!
!!?
!!まずい"魂への言葉(ソウル・ポーカス)"だ……!!
おしるこォ~!?
おしるこ!!…あったよな!!?
いや全部(ぜんぶ)こぼしちまった…!!
なきゃ"寿命(じゅみょう)"取(と)られるぞォ~!!
ギャア~~~~!!!
コポ
コポ
コポ
ガタガタ
ブチ!!
ブチ
ブチブチ
!!!

命をあげる……!!
ウオオオ～～～!!!
おれの1年分の寿命を使うよ…
コレじゃねェとおれを強くする事はできねェ…
ポーッ…
巨大化～～～!!?
こんなに痛ェ想いしたのは…何十年振りだろうね…
!!
お前らを認めるよ………!!
……!!
ド
ン
!!

ぱく!
え〜〜〜!!? ビッグ・マムが!! 更に!?

奪ってみやがれ!!!
「四皇」の座をよォ!!!

トラファルガー・ロー…!! “キャプテン”キッド!!
“麦わらのルフィ”も然り お前ら確かに・・・この座を奪いに来たんだね…

ゼェ…ゼェ…
こんな怪物倒さねェと…
歴史の勉強もできねェなんてな

命の限り力は出し惜しむなよ……!!?
刺し違えてもコイツを引きずり降ろす!!!

どうなってんだ!? あのデカさ!!
ライブフロアは地獄だ!!
わあああああああ
城内は火の海だぞ!!?
正面は兵だらけ!!
わああああああ…!!
「岩戸の間」から回り込むしか…!!

岩戸の間──

ガガンッ!!
待て待てお前正気かよォ!!!
ガン!!

スクラーーッチ!!
"爆"♪
ドォン
お前の攻撃はもう見切った!!
"麦わら"との義理でおれはお前を仕留めておく必要がある……!!
攻撃の軌道はない様でちゃんとある…!!
発動条件は「聴力」照準は「目線」だ!!
バラすんじゃねエよ!!
お前のピンチはここに3人の「ナンバーズ」がいる事だ!!
チェケラ♪

ボゴッ
ガァン
!!?
ヤマトぼっちゃん!!?

あ!!
ドレーク……!! アプー!!
“飛び六胞”と情報屋がここで何を!?
ヤマト…ヤマト…!? カイドウの敵…!!
ドレークのバカは使えねェしな…!! 乗り替えるか!!
ヤマトぼっちゃ〜〜〜〜ん♪
耳よりなイイ〜話があんだよォ!!
!
ぼくは急いでるんだ!! もうカイドウとも完全に縁を切った!! 仲間と思わないでくれ!!
マジ!? じゃー尚更だぜェ〜〜〜♪
フガ
僕を止められると思うな!!!
ギャキィ
!!
待てヤマト!!!
おれも もうカイドウとは関係ない!!!

え!!そうなの!?
ごめんねドレーク急ぐから!!
ボゴォン!!
フ〜〜が〜〜〜!!!
ガシャァ!!
「鬼ヶ島」と「花の都」の危機なんだよ!!
え!?
あ
え——!?おいどこ行くんだ"二牙"!!
フガガ!!
ガラガラ
フーガ!?
くそ…!!ヤマトを味方につけねェと…!!

ついて来いお前らァ〜〜〜!!
イビ
ザギ?
逃がすかアプー……!!!

城内2階──
5
4
3
2
1
B1
B2
逃げろ死体男爵!!!
ニコ・ロビンを守れ!!
わあああああ
こいつら異常な強さだ!!!
ミンク族の皆さん〜〜〜〜!!!
……!!
ああああああ
ドドド
飛びますよ!!ロビンさん!!
あれは…"ドレスローザ"にいた人達よ…!!
──なぜ鬼ヶ島に!?
ズン!!
サイファーポールの最高位「CP0」の中でも
"マスク"をつけた諜報部員は更に別格なの
どけッ!
わああああああ

ドクロドーム左脳塔「遊廓」──
何すんだよアンタうら若い娘に!!
「ワノ国」の軍なんだろ!?
そうだが…いや違う!!おれは何も…!!
何もやって…ない
ハズなんだ
うえ〜ん……
カタ
カタ
アンタしかいなかったんだよ!!
出て行っとくれ!!
あたしらここに隠れてんだ!!!
……
ガン!!
ガシャン!!

一番あり得ねェ…!!おれが…レディに手をあげるわけ…!!!
気を失う程女を殴ったのか…!?
お前達の全てがおれの思想に反する!!!

おい〜!! ムハハハ どこに行ってた
遊廓はやってねェだろ!? 「ジェルマ」!!!
ズ
ウ
ド
ド
……………
…もう体はウズかねェ… "変化"は終わりか?

確かに考え込んでたが…
キャー すいません私…!! カイドウの手下では……!!

"花の都"から連れて来られただけの芸者です

どうか見逃して………

次の瞬間…彼女は吹き飛び…
血を流し…!!

おれを見て
怯えてだ…!!!
……
——なァルフィ
お前は
どっちがいい?
——今までの…敵が女なら
手も足も出ねェ様な…
頼りねェ生身のおれと…
冷酷で…無感情だが…
こんなバケモノでもブチのめす…!!
命令されりゃ誰の首でも取ってくる

"科学の戦士"と…!!!
どっちが「海賊王」の
役に立つ…?
スッ…
ハラ
決めたよ
まだ
どうなるか
わからねェ
が……!!

おお♡
そいつが
ジェルマの
スーツか!!

――きっと
コイツを着た
せいで……
カラン…
おれの体に
元々あった
〝科学〟が
目覚めたん
だろう…!!
それは もう
仕方ねェ!!!

――だったら
これ以上は
ナシだ!!!
おれは
「ジェルマ」には
ならねェ!!!
グシャ…!!!
うおーー
勿体ねェ!!!
見せろよ
変身〜〜〜〜〜!!!
ボゴォン…!!!

さらば
「GERMA」!!!
シュボ
さらば女湯!!!
この戦いだけは
終わらせる!!
プルルルル…

ドーム外
ゾロVS.キング
プルルルル…
プルルルル!!
キキィン!!
ボコォーン!!
ガチャ!!
ハァ…
ハァ…
あァ!?“電伝虫”なんておれ持ってたか?
おれが帯につっ込んどいたお前がどっかで野垂れ死んだ時の為に…
アホコックか!!
邪魔すんな!!
ドドド
ギキン!!
キン!!
すぐ終わるから聞け
これからおれ達は…「百獣海賊団」に勝利する
…ああ当たり前だ!!
——だが決着の後
………
…………
——もしおれが“正気”じゃなかったら

お前がおれを殺せ
!?
キィン!!
は?
ハァ…ハァ…
スー…
——よし わかった お前はおれがキッチリ殺してやる!!
何だか知らねェが……
決着後の楽しみができた…!!
だったらてめェ…
ハァ…ハァ…
それまで死ぬなよ
ドン!!
悪イな
ガチャ
〝地獄の

は？
どこへ消えた!?
それも科学か!?・・・ジャッジのせ・・・がれ!!
オイオイ薪を焚べるなただでさえ燃え上がってんだ!!
ドォ
思い出!!!
ぐウえ〜〜!!!

（東京都　保谷さん）

D：ウソップの武器・黒カブトとがま口カバンの擬人化して下さい。　P.N.NEWそげキング

O：はい、いいっすよ。

D：尾田っちこんにちは！ ずっと前から気になってたのですが、ルフィは海賊王という言葉をいつどこで初めて知ったのですか？　P.N.まさぞう

O：シャンクスの話で知りました。もちろんシャンクスが「海賊王」の船に乗ってた事は話してませんが。シャンクスに会う前はガープに「海兵になれ」と言われてましたが、自由に冒険してみたかったルフィは漠然と抵抗してました。

D：ハローおだっち！ 1031話の扉絵から考えると、ハートの海賊団のNo.2はベポなんですよね!? ペンギン、シャチ、ベポが同率No.2だと思っていたので驚きです！ 彼らの中でベポ（スーロン？）が1番強いということですか？ P.N.ぷりん屋

O：あの表紙はですね、ゾロ然り、全員が〝副船長〟の肩書きを持ってるわけじゃないです。僕が勝手にピックアップしたNo.2達です。普段はシャチ、ペンギンの方が頼りになるんですが、ベポのスーロン化を見た事のある2人は戦力的にベポには敵わん…！と認めています。

第1032話

〝おでんの愛刀〟

扉絵リクエスト「黒猫とヤマトが荷物を配達しているところ」P.N 深田心

どうしたんだよいイゾウ
「巨大な妖怪」ってのに胸がザワついて………‼
ケガ人を飛ばせて……‼
悪い…さっきの通信…
どこにそんな敵がいた⁉
ああああ
わああ
城内は火事らしい
気ィ抜くなよい‼
ああ
わあああああああああ…
ドゴォン‼
侍達が出口を塞いでる‼
大砲持って来い‼
フロアへ出ねエと焼け死ぬぞオ‼
わあああああああ…

城内地下2階
B1
B2
ヤマトぼっちゃん話聞いてくれ――!!
忙しいんだって!!ついて来るな!!
アプー!!性懲りもなく…!!
ガガガ
ガガ
ドン!!
うわァナンバーズだア!!!
フーガ!!
久しぶりだけど急いでるんだ!!
フガガー!!
ど

城内2階より全フロアへ!!
ああああああ
あああああ
巨大な炎の妖怪は地下へ向かった!!
え?
ふっ!!
ば
フガ?
誰の!?
ば
ばっ
!!
え!? クッション!?
いいえ 髪の毛よ!
ハアハア…
来ますね!!
バキ
バキ
え?
何ですか!? アレ!!!
スッ
戦うしか……!!
ヒュ~!!
ヒュ~!!

ん!?
うわ!!
ゴゴォ!!
目的は不明!! 下へ下へと進行中!!!
は？
バキ
バキ
わあああああ
来たぞ例の火の妖怪だァ!!
でけ〜〜〜!!!
ハア…ハア…
バキ バキ
ドドン!! ドドン!!
ギャア〜〜〜!!
何アレ壁をすり抜けてる!!
下へ…!?

F5
F4
F3
F2
F1
B1
B2
現在地
武器庫
このまま下へ向かったら…!!
ダメだよ!! それはっ!!!
島が空中爆発しちゃう!!!
フーガ!! 手伝って欲しい事が!!
フーガー♪
ダン!!
CP0は炎の向こうよ
すぐに追って来ますよ急ぎましょう!!
わあああああ!!
パシャ! パシャ!! パシャ!!
ん!?
アッパッパッパッパ!!
「カイドウの城に天竜人の狗!!」
スク〜〜プ!! モルガンズにでも売ってやろうか!!
わあああああ…
パシャ!
パシャ!
仲買人ドフラミンゴを失った政府はついに…
首を突っ込みすぎだ

ドス!!
ヴェ!!!

ぐ……

アプー!?
ド
ブシュー!
……!!

X・ドレーク
お前の正体を我々が知らないとでも?
!!

——なら言い訳でもしたらどうだ!?

"不都合"は…
消すのみ!!

ドォ
ン!!!
♪♪♪
!!!
〝爆〟♫
ハァ…ハァ…痛ってェ…!! 政府の殺し屋共がァ…!!
…何だ生きてたのか
う
ドサッ!!
〝武装色〟くらい使ったわアホンダラ
許さんあいつら
お前やっぱ海兵だろ!!
黙れ
やるのか? やらねェのか?
売られたケンカだ……!!!
わあぁあぁあぁ…!!
れぁあ
……
売ったのはお前だ
……

買うに決まってんだろォ!!!
ギャオオォ!!!
うわあア!!!
ドカァン!!!

ゴゴゴゴ
ドーム外
ゾロ VS. キング
………
ズズゥ…ン
………!!
バサ…
バサ…

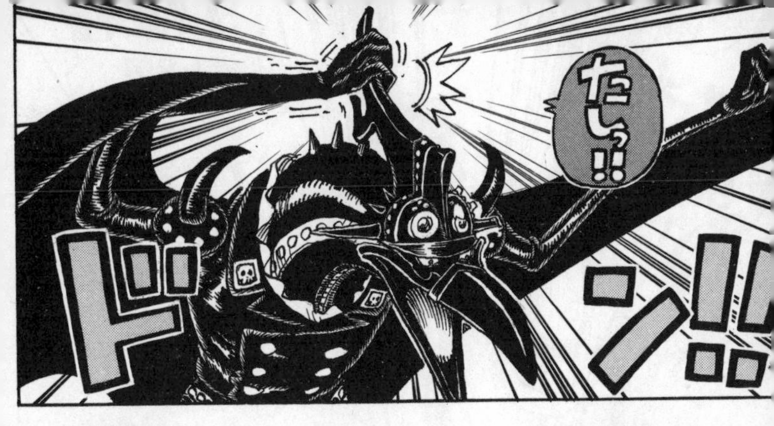
たしっ!!
ドゴーン!!

ぐぐぐ…!!

ぐぐぐぐ…

ハア…
ハア…
え…あのトサカは引っぱるとああなる仕組みなのか…!?

〝貂〟

ぱっ
キュン!!
〝自尊〟

!!?

〝皇〟
ドドドオ!!!
ゴン

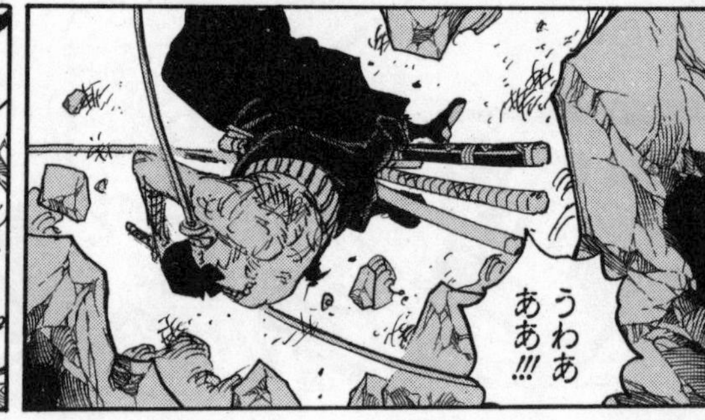
うわあああ!!!

防御不可!?
まるでレーザーだ……!!!

太古の昔プテラノドンは
ガラガラ…
ズズ…ン
……

こうやって狩りをしていたんだ!!

くそ…!!
ガラララ…!!
そうだったのか!!
ハァ ハァ
"三百六十煩悩鳳"!!!
ドオン

何とか当てねェとこっちは
消耗するばっかりだ…!!
ゼェ ゼェ
まさかあの燃えてる背中もプテラノドンの特徴なのか!?
違う
違うのかよ!!

高ェとこから物言いやがって…!!落とさねェと話にならねェ!!
"三刀流"
ハァ…ハァ…
ゴゴゴ
!!
"黒縄大龍巻"!!!
ドオオ!!
ズバババン!!
ズバァン!!
!!?
ギギギン!!
ギィン!!
……!!
!!
斬撃を
羽根で受けてる!!?

結局“龍”も“恐竜”も
頑丈さが売りなのか
!!?
……!!
そうだが…おれは・・・それ以上!!
少し特殊かもな!!
刀で勝負してやろう!!
おれも刀は好きだ!!
ガギャン!!
!!!
斬撃は何度か入れた——だが血も出ねェ…!!!
翼は動く…飾りじゃないが「飛行」は未確認
炎は背中で燃え続けてる
“能力”の一部と思ったが
それも違う様だ
……!!
キキーン!!
ガキーン!!

魚人族？巨人族の血？
きっとおれの知らねェ種族の力

何かを・・・解かなきゃ・・・

ドサッ
おれはコイツに……!!

勝てねェ気がする……!!!
ハァ…ハァ…
ハァ…ハァ…
……？何の音だ……？
……？
三味線…!?そんなわけねェよな…!!
シュー…!!

「閻魔」が!!!
ボオ!!!
うわあああああ!!!
ドーム内「宝物殿」――
ペペん♪
わああああ…
ドゴ…
ん?
三味線の音…?
バカな…
こんな戦場で何の戯れじゃ…?
隣からか…?
ペペん♪
ペんペん♫
スー…
ペペん♪
う……!!
眩しい…!!
誰かおる
まさか敵か!?
ここがバレたか……!!?
……
ペペん♪
ペペペん♫
へ?
こ…!!
……

ベベん!!
小紫イ〜〜〜!!?
おお〜〜〜……ここはあの世か?はたまた夢か…!?
ズーズル〜〜ッ…!!
……
・・・あの日よりおぬしを夢に見ぬ夜はない…!!忘れられなんだ…
わちきもでありんす!!殿……いつでも
ぬしのおそばにおりまする
ニコッ
夢なら醒めんでくれェ〜〜〜!!!

（宮城県　カイデンさん）

D：キッドとキラーかっこよ過ぎます！ 他のキッド海賊団の仲間がちょこちょこ描かれていますが、名前を教えてください。　P.N.コウ太郎

O：はい、えー設定ラフ載せちゃいますが、全員じゃないです。
キッド海賊団は31人います。覚えなくていいです！笑

第1033話
〝霜月コウ三郎〟

扉絵リクエスト「たしぎが悪の怪人になってヒーローごっこをする子ペンギン達にやられてあげているところ」P.N ソダスス

ドーム外
ゾロVS.キング
閻魔ァ〜〜〜!!!
誰が勝手に力を解放していいって…!!!
許可したんだァ!!?
仲間割れか?
ハァハァ…

は？
ばっ!!
何のつもりだ!!!
「当たり」だ
え…
ドス!!!
ドォーン!!
!!?

ドクロドーム左脳塔「遊廓」ーー
ムハハハハ〜〜〜〜!!
さっきの電伝虫“海賊狩り”だろう!?
キングには勝てねェぞ……!!
…………
あいつは絶滅したハズの
「ルナーリア族」の生き残り!!
プスプス
自然界のあらゆる環境下で
生存できる怪物

大昔には“神”…!!
それがあいつらの呼び名だった!!
そんな奴らがなぜ絶滅するんだ?
そんな事っ!!
バキバキ
歴史に聞きやがれ!!!

ゴゴゴオオ…
ハァハァ… 危ねェ… 武装が遅れたら死んでた…
……………!!
何でアイツが生きてんだ 自爆する奴がする事だろ
一刀流「居合」
〝死・獅子歌歌〟!!!
ド ン
!!!

!?

ギリ…
ギリ…
ん
ば
全く効いてない!?
は!?
ぷる…
ぷる
〝貂〟

今の方が明らかに〝大技〟だぞ!!
チャキ
うわ!!
ド
ウ
おい待て!!閻魔!!
ぱっ
キュン!!
〝自尊〟
こんな時に!!!

〝皇〟!!!
ウ!!
!!!!

刀に足を引っぱられる剣士!!
初めて見たぞ!!
!
〝三代鬼徹〟!!

お前の使う「三代鬼徹」は
わしの作品だ
妖刀か
バ…バカ売らねェぞ!!
…それでお前が死んだら
そうなのか!?
まるでおれが殺したみてェじゃねェか!!
もらってく
!!!
刀を助けて
ガシャアン!!
死ぬ気か!!?
バサッ!!
!!!
ボシュァン!!
ハァ
…熱っ…!!

アウ…!!
ハァ…
ハァ…
ガラララ
よかった
………
落ちて
なかった
和道一文字
先生っ!!
あいつの刀
おれに
くれよ!!
…ああ
いいとも
おれ
あいつの
ぶんも
強く
なるから!!!
天国まで
おれの
名前が
届くように
世界一強い
大剣豪に
なるからさ!!!

どういう
縁か
その白い刀
"和道一文字"と
"閻魔"の
産みの親は
同じ人物!!
名工
"霜月
コウ三郎"!!
唐突すぎて
頭が追いつか
なかったが…
"東の海"の
辺境になぜ
「ワノ国」の
刀があった?

刀は3本揃ったか!?
〝刃裏双皇〟!!!
〝閻魔〟
うわ!!
ゾロ十郎は「すなっち」
言ってはならんと言われた

昔村のジジーに習っただけで
おれも言った事ねェしな
えェ!?
ハァ…ハァ…
ドサッ
村のジジー…いつも海岸にいたあのジジーの名前は ずっと知らなかった…
ジジーが死んだ日初めて知ったくいなのじいさんだった事
名工「霜月コウ三郎」50年以上前にこの国を違法出国した男だ
……
……
ハァハァ…
13年前"東の海"シモツキ村―(ゾロの故郷)
一心道場
わー!!
たー!!
ギャー
わー
そう「スナッチ」!!
心を奮い立たせるまじないだ!!

ふーん おれ いらねー へんな言葉
それより ジジー 昔 サムライだったのか？
道場のみんなが言ってた
！
黙らせとけ!!
今に海軍が押し寄せて来るぞ
教えん 帰れ クソガキ
かいぐん!? なんで？
村のジジー
何だよ!! へんくつジジイ!!
ズんっ!!
ビシ!!
バシ!!
たー!!
わー!!
バスン!!

道場は退屈か?
またくいなに負けたんだ!!
練習がたりねェんだ!!
えー!!お金ないぞおれ!!
やるっつってんだナマクラだぞ
おれは…そんなモンしか打てなくなった
練習にでも使え…
いいか刀は"人斬り包丁"!!人を殺す為に生まれる!!
刀鍛冶はより多くの命を奪える様にそれを作る!!
…い…!!
刀にも性格があり
それを服従させるのが剣士だ!!

危ねェ
刀が
「妖刀」!?
アホいえ
それは
「名刀」だ!!
弱者が恐れ
「妖刀」と
名付けたら
それは誉れで
ある!!
刀は恐ェ!!
まじめに
〝凶器〟やってる
からだ!!
ズ
シッ…!
若ェ頃に
作ったアレが
おれにとって
〝人生最高の
一振り〟
だったな…
気性は
ド真面目!!
手にした
だけで
寒気が
する様な
あの
「名刀」に
おれは
地獄の
大王の名を
与えた!!!
ゴゴゴ
ゴ
地獄の
大王…
〝閻魔〟
……
……

村の名は「シモツキ」偶然じゃなかったのか…？
知ってるか？この村昔海賊が作ったって
ウチのばあちゃんが言ってた
名工〝霜月コウ三郎〟50年以上前
この国を違法出国した男だ
あのジジーがワノ国の侍……!!
刀鍛冶〝霜月コウ三郎〟!!?
名刀は人間を見てる
己に見合った剣士を選ぶ…!!

刀は持ち主を選ぶという
来たんだな…おれを選んで
おれを試しに…!!!

ズズズ…!!
刀は実直
悪意じゃない…
確かにそうだ
なら足りねェのはおれの力だ!!
ガラララ…
もしかしておでんは
これだけ覇気を奪っても
楽々と戦ってたのか…!?
ゴゴゴ…
なァ「閻魔」
ゴゴ
見ろ!!「海賊狩り」だ!!
キングさーん!!
ドドドド
わー
!
ギャー
そいつの首おれ達に取らせてくれ!!
昇格間違いねェぞ!!
どうやったらいい…!?
覇気を安定させるには…!!
この量の覇気を放出し続けるなんて命取りだ
いや…
!!?
バリッ…!!
それでいい!!

！
ドサ
ドサ ドサ…!!
成程…

「王」にでも
なる気か？
ドサ…
あ？
いいねえ 世界一の剣豪!! 海賊王の仲間なら
それくらいなって貰わないと おれが困る!!!

ベベん!!
そうだな… 船長と… 親友との
約束があんだ!!!

(埼玉県　ひぽアイアンさん)

O：はい！ 前にですねー皆さんに僕が質問した〝巨人咲き〟したロビンの胸をおおうあの線何なの問題！ 色んな解答いただきました！ 一部紹介!!

D：あれって僕がロビンと戦ってボコボコにされたときに唯一僕がつけた傷ですよね？
P.N.たにぐを知ってるれお

D：ロビンの裸でヨコシマな気持ちにならないためのタテシマですね!!
P.N.タマえもん

D：あれはデモニオラインですね。人って怒ると青すじとか出ますよね。これ以上怒らすとデモニオフルールよ!!という警告ラインですね。
P.N.久力大地

D：そもそもあれは胸ではなく、玉ねぎなんじゃないでしょうか？
P.N.ええやん

O：なるほどね〰〰!! その他たくさんの意見ありがとうございました！ さァ見事公式設定に選ばれたのは!! ダラララララ〰〰ダン!! ロビンさんどうぞ!!

ロビン：「たまねぎよ♡フフフ…！」

O：**たまねぎでしたー!!! 胸じゃなかったー!!**

D：尾田っち、こんにちは!! 最近SBSでおっぱいネタが尽きないですよね？ 男は胸のことしか頭にないのか!?と呆れながら読んでます。100巻の1ページ丸ごとパイ祭りは悲しくなりました。変態ばかりじゃねーか!!と。知ってますか…？ 私達レディが知りたいこと…。
ゾロの胸囲を教えなさい!!!
P.N.ろろみき

O：**女子の変態キター!!!** 終わったー！ このコーナー。チキショー！ ゾロの胸囲なんか知るかー！ 110くらい？ SBSここまでー！ しかし今巻はジンベエの声優・宝亀さんのSBSがあるよ！(P168)

第1034話

〝サンジvs.クイーン〟

扉絵リクエスト「お祭りの射的で子供達のために景品を取ってあげるウソップ」P.N 恵比

ドクロドーム左脳塔「遊廓」──
ズズズズゥゥン!!
キャー───!!
お染!! 離れなケガするよっ!!
もっと奥へ逃げましょう!!
ガラガラ!!
ギャー
きゃあ───!!
…だけどまだ…
忠治が見つからなくて…
あのコならきっと無事さ!!
今は自分の身を守りな!!
逃げられるものなら…この島からも!!
「ワノ国」からも逃げ出さなきゃいけない時なんだよ!!
ゴゴゴゴォ…
名案でござる!!
名案でござる!!

拙者も同じ龍ゆえ!!!
つかめたでござる!! カイドウの焔雲!!
うぬぬぬぬ
押しかえせぬまでも!!
せめて止められれば!!
ドンチャン♪
ドンチャン♪
さいあくの事態はさけられる!! ぐぬぬ
「花の都」に
落とさせはせぬぞお〜〜〜!!!

ドクロドーム内「ライブフロア」
わあああああああ‼
城から脱出しろー‼
ギン‼
キン‼
持ちこたえろォ‼
ドクロドーム左脳塔「遊廓」─
わあああああ…
〝火花〟
カ‼
‼?

ドド‼
ドドドド
〝QUEEN〟‼

え…
目から光線(めこうせん)…!?
〝火花(スパーキング)
光拳(ヴァルキリー)〟!!!
!!!
〝起電(ヘンリー)〟
〝QUEEN(クイーン)〟!!!
うわあああ!!

…………!!
〝起電〟
〝光剣〟!!!
ムハハハハハ!!
ザ!!
ド
わかるか!?

ドドドドド
「ジェルマ66」の技だ!!
てめェが変身してその後
わ!!!
見せるつもりだった!!
ジャッジの息子達こそ奴の技術の集大成!!

スーツを着たお前を叩きのめせばジャッジの奴に示せた!!
科学者としておれの方が優れていると!!!
なァ!! "ステルスブラック"!!!
知るかお前らの因縁なんか!!!
さっきはスッとぼけたがよ
"ジェルマの科学"は!!
がしっ
うわ!!
全て調査研究済みよ!!!
放せ!!

お前ら兄弟の技は全て再現できる!!
また家族扱いを…!!
"巻力"!!
"断頭"!!!
"巻力"

"QUEEN"!!!
うぉー!!!
ボン!!
ドサ
!!?

ゼェ…ゼェ…
おのれクソガキィ〜〜!!!
忠告はしたぞ……!!
!?
あいつらの名をおれの前で口にするな……!!
ゼラ…
ハァ ハァ
おれの言論の自由を奪おうってか!?
"腹肉ストライク"!!!
ゲホォオ〜〜〜!!!
ムハハハ〜〜!!!
おれの!!
手がア〜〜〜!!!

おおおおお!!!
みろ!! いつまで優位に立ってるつもりだ
ズザザザザ
さっき吹き飛ばした一撃が効いてねェ筈がねェ!!
散々戦ったんだお前も弱ってる!!
.........!!
おれはもう"運命"を受け入れた!!
広場でのおれとは違う!!!
スー…
ハァ
ハァ
!!
見せてみろ…!! どう違うか!!
次はお前の技だ
"ステルスブラック"!!
!!
!!?

そんな事までできるのか
フッ
ええええ
え〜〜〜〜!!
あいつも消えやがった!!
しかし奴にスーツはない!!"高速移動"による消失だ……!!
し――…ん
現れる時は体力尽きた時だ…!!
バカな応戦に出たな

チュー
チューチュー
トコトコ
!!
いた!忠治!!無事だったのね!!

忠治！急いで！
チューチュー
またいつ戦いが始まるかわからない
!!
お染!!あのアマ〜まだ動けたか何十回もおれの指名を断りやがって
今日も断られた!!
小紫たん亡き今お前がおれのNo.1なのに!!
今日は頭痛で寝込んでると聞いたのに
チューチュー
ギシ…
ピンピンしてんのはおかしいよな!!?
ギシ…
ギシ…
さっきの「天罰」じゃまだ足りねェか!?
もう一発くらえ!!
ふっ…!!
ハァ
ハァ
おれの得たもの

「外骨格」
「筋力」
「移動速度」
それは加算される力だ
「外骨格」に今まで鍛えた「武装色」を重ね…
より強靭なより高温の炎をまとう脚になる!!!
〝魔神風〟
〝脚〟!!!
ギュオ!!
加速も違う!!
重みも違う!!
謎も解けたぞ…!!

お前だったんだろ!!? クイーン!!!
…人間のクズが!!!
キャー!!
〝首肉〟!!!
!!?
ゴウォン
チュー!!
きゃあ
ブオおおー!!!

え!? クイーン様!!
ガララ…
〝肩ロース〟!!
〝肩肉〟!!
アガ!!
〝肩バラ肉〟!!!
〝バラ肉〟!!!
ゲフ!!
〝腹肉〟!!
ドス!
ボゴ!
ドス!!
〝尾肉〟!!
〝モモ肉〟!!
〝すね肉〟!!
ド
ドド!!
……!!
飛べ ゲス野郎
〝牛肉バースト〟!!!!

ブオヘエ〜〜〜!!!!

ジンベエの声優!!

（栃木県 かしきサン）

H・D・K!!（はい、どーも、こんにちは）
帰って来た**「声優さんのＳＢＳ」!** 久しぶりですねー
10年ぶりですね〜。52巻のルフィ役「田中真弓さん」に始まり、
64巻ブルック役「チョーさん」まで9名やったわけですが、
この度10人目のジンベエが仲間入りした事で皆さんからリクエスト
いただきました〜! さーやりましょう!
今回は頼れる操舵手**ジンベエの声の主!! マジで任侠な男!**
宝亀克寿さん in the house!!

O（尾田）：はい、宝亀さんでーす。自己紹介お願いしますー!
H（宝亀）：**海のぉ〜♪ 男はァ〜♬ みな兄弟ィ〜〜ィィ〜〜♬**
O：おおお!! ちょいちょいちょい!! 歌ってますやん!!
いや自己紹介ですよ! ノドに自信があるのはわかりましたよ!
H：**あ、そお？ 一緒にやる？ ん〜海のぉ〜♪**
O：**いやもういいから!! 進まんわ!!**
H：**やっと仲間になれました、宝亀克寿です。べべん!!**
O：べべんですよねー。いやーホント色々お待たせしました。読者も待ってましたよ! じゃあもう尺取りすぎですからいきますよ!
ＳＢＳのコーナーです。
「ＳＢＳ」って何の略かわかりますよね？
H：**(S)そんなに(B)ぼくのことが(S)好きなのか!?**
O：好きだけど違〜う!! やっぱボケてくるんだな〜。もう。
H：**(S)そんなに(B)僕は(B)ボケてないぞ!!**
O：ボケ倒しだよ!! 〝ＳＢＢ〟じゃん!! も〜時間です。やってください!!
はいコレ、ハガキです!!（ドサッ）
H：**よし、任せとけい!!**

宝亀克寿さんのＳＢＳ、続きは186Pへ!! ☞

第1035話

"ゾロvs.キング"

短期集中表紙連載 第二十五弾 Vol.1
「脱出！ホールケーキアイランド」

ドォン!!

メキ
ボキ…!!

ボゴオ…ン!!

ハァ…
ハァ…
ギロッ

……………!!!
ガタ ガタ…
キョロ キョロ
チュー
ごそ ごそ…
!!
チュー!
忠治!!

忠治!! よかった〜〜〜!!
…危なかったから…
あ…ありがとうございます!!
チュー♡
……
落ちこぼれ!
こいつまたネズミのエサ作ってやがった!

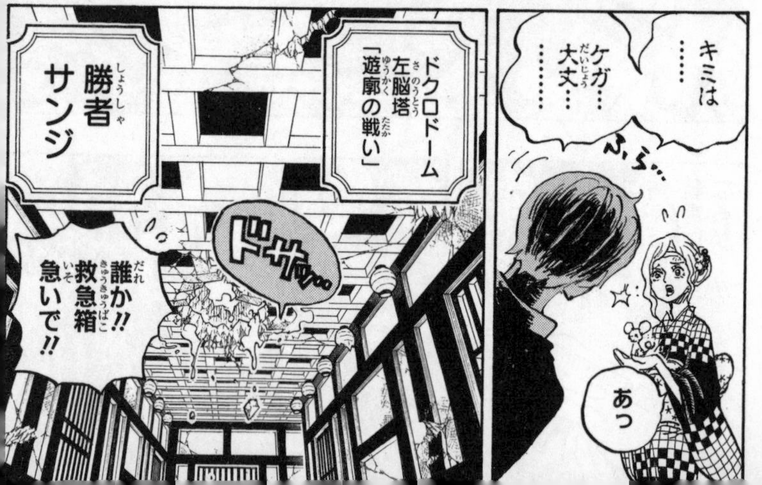

キミは……
ケガ…大丈夫…………
ふら…
あっ
ドクロドーム 左脳塔「遊廓の戦い」
勝者 サンジ
ドサッ…
誰か!! 救急箱 急いで!!

わあああ
バリィ!!
!!!

ドシュ!!
ビッ!!
ハア…
ハア…
ド
ン!!

……!!
パサ…
やっぱりか…!!
〝背中の火〟が
消えた時
動きは速く
なるが…!!

防御力は
バババリ!!
落ちる……!!!
ドンッ
!
あ…キング様のマスクが………!!
!!
!

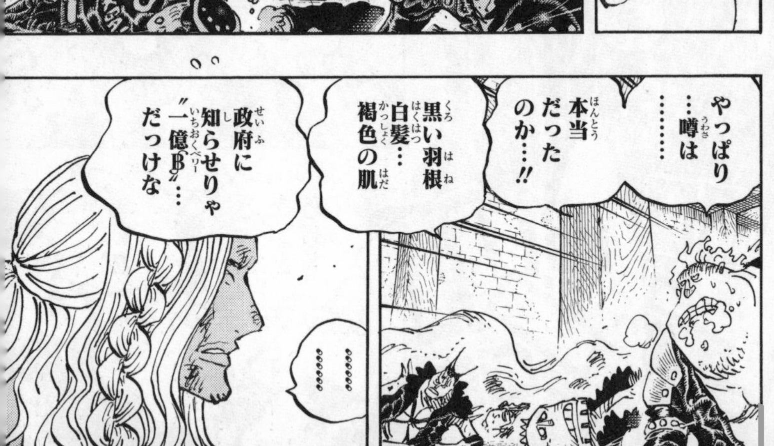
やっぱり…噂は………
本当だったのか…!!
黒い羽根白髪…褐色の肌
政府に知らせりゃ"一億B"…だっけな
……………

ボォオ!!
!!!
いや…あの
〝火龍〟
!!!
〝皇〟!!!
ぎゃあああああああ
あああああああ
ドン

ただでさえ城内は火事だってのに…!!
部下を大切にしろよ
!!
あああああ
ぎゃあああああ!!!

気が散るんならこっちでどうだ

政府にチクるだけで一億?
何族なんだ?てめェ
……

グ…グ…!!
これから死ぬ男が……

知ってどうなる!!
ダダダダ!!
キュイ

ズコォン!!
ドドドドド!!!
ガ
ガ
ガン!!
バサッ
!!

ハァ…
ハァ…
あんまり時間がねェんだ…
長引くと刀に命を奪われそうでよ!!
相応の危うさは感じてる
特殊な一族ではある様だが…
それはおれには関係ねェ…
ハァ…
ハァ…
おれもだよ…!!
もう充分君臨したろ
席を空けろお前ら

〝閻王…三刀流〟
バリバリ…!!
!

調子に乗るな…
カイドウさんこそ「海賊王」になる男!!

こりゃあ政府は手離せねェな…「ルナーリア族」か
見たぞお前の耐久実験
おれはここを出て新しい海賊団を作る!!
お前はどうする?モルモット
……
お前は世界を変えられるか?
おれにしか
変えられねェ!!!
実験体が逃亡ー!!
わあああ
名前は?
アルベル
お前は強ェ"キング"と名乗れ!!
おれの陰にいろ!!誰にも渡さねェ!!
お前は今日からおれの右腕だ!!
ウォロロロロロ!!
……

"煉獄鬼斬り"!!!
ドン!!
!!
火は燃えてる
今は無駄骨
"火龍皇"!!!
ぼっ!!
マグマみてェな炎だ!!

!!!
ズゴッ

ギギ…!!
ガチッ!!
!!!
またアレか

………!!
取れるか!!!
“名刀”達を!!!

ザザザザ
ハァ ハァ…
!!
ヒュン!
速い!!
つまり
ガゥ
斬れる!!
バリ…!!
"厄港鳥"!!!
!!!
ドドド

ヨロッ
…………
ハァ ハァ…
ザザ…
…おれの体質を理解したようだな……!!
ギギギ
そうだ…!! やっと見えたか!? てめェの敗北が!!!
ギキン!!
ブン
う!!
ヤキ!!
ギキン!!
なぜ受ける… 効かねェハズだろ……!?
………!!
ギイン!!
それとも恐ェか? おれの一撃…!!

お前は
生物として
おれには
勝てねェ!!
!!
ばっ…!!
フフフ
おれは
そういう
言い訳が
一番嫌い
なんだ
!!
……!!
威勢のいい剣士
だったと記憶に
残しといてやる
バサッ
ダダダ!!
こっちから
刻んでやるよ
お前の命が
続くならな!!
〝御守
火龍皇〟
!!!
オ!!
ゴ
ドドドド

"閻王三刀龍"!!!
バリ
バリ
バッ
!!
ザザザ
ザザ
"一百三情"
"飛龍侍極"!!!

!!!
ド

我らが操舵手・宝亀克寿の!!

(栃木県 部長の介さん)

D(読者):宝亀さんこんにちは。質問ですが、下の歯はお喋りする時、邪魔じゃないんですか?　P.N.ゆうぺこ

H(宝亀):魚人の歯医者に相談したけど「**抜かない方がいい**」って言われたから(笑)

D:宝亀さんの手にも、水かきはありますか?　P.N.ろろみき

H:**もちろん!**(名残だけど)みんなにもあるでしょ?

D:宝亀さんはナミさんとロビンちゃん、どちらがタイプですか??　P.N.ろろみき

H:ロビン。魚人について詳しそうだから。

D:なにか格闘技をやってたことはありますか?　P.N.ラーメン丸

H:小学校3年生から柔道をやってました。**黒帯です!**

D:宝亀さん、もしジンベエが悪魔の実を食べてたら、どんな実だと思いますか?　P.N.420ランド

H:陸でも海でも暮らせる魚人だからこそ**〝トリトリの実〟!**
でも泳げなくなるのは辛すぎる!

D:宝亀さんはやっぱりマーメイドがお好きですか?　P.N.マッチとタケシ

H:美人なマーメイドは好きです(笑)

D:好きなお魚を教えてください。　P.N.マッチとタケシ

H:のどぐろ! 美味しいから!

D：ジンベエとモリア。演じるのが難しいのはどちらですか？　P.N.江原涼太
(※宝亀さんはゲッコー・モリアの声も演じてます)

H：ジンベエ！ ジンベエ自身が紆余曲折な人生を送ってきているから。

D：何も見ずにジンベエを描いて下さい。
P.N.ゆうぺこ

H：

D：ジンベエを四字熟語で表すと？
P.N.いけだ

H：**臥薪嘗胆！**

D：宝亀さんに私なんかが質問をしてもいいのかと考えて筆を取れずにいて…くらえっ！ ネガティブホロウ!!
P.N.おっちー

H：…うう…魚人役なのに幼稚園のとき溺れた経験があってごめんなさい。

D：ジンベエの好きなセリフや好きなシーンを教えて下さい!!　P.N.おっちー

H：〝未来の「海賊王」の仲間になろうっちゅう男が四皇ごときに臆しておられるかァ!!!〟盃返上のシーンです！

D：99巻のＳＢＳにて、ジンベエの得意料理が「かつおのたたき」と判明しました！宝亀さんの得意料理はございますか？　P.N.しば

H：野菜炒め、野菜ラーメン。幼少期、自分で作って食べてた！

D：宝亀さんは何の能力者ですか？ 教えてください!!
P.N.ヨーD

H：**〝プープーの実〟**の能力者！ おならで気絶させる私のことを、人はプー太郎と呼びます…。

O(尾田)：はい！ 宝亀さんお疲れ様でした〜お時間です！
〝プープーの実〟とか、何をしょうもない事言ってんすか！
おならごときで気絶させられてたまりま…うっ!! くさ…バタッ…!!!

H：あ。尾田っち!! イカン脈がない。じゃあみんな、解散!! 帰ろう！

O：放置すなァ!!

8.6(sat.)公開!!
海賊戦闘服!!
尾田栄一郎描きおろし映画オリジナル衣裳!!

今作の麦わらの一味は、音楽フェスに参戦!?と思いきや、新衣裳では雰囲気が一変!!レザーやスタッズ、甲冑や西洋風の剣!スタイリッシュな一味の姿に注目だ!!

『FILM RED』公式サイト
https://www.onepiece-film.jp
Twitter ▶ @OP_FILMRED

驚愕の続報ラッシュに期待せよ!!

原作・総合プロデューサー:尾田栄一郎
監督:谷口悟朗　脚本:黒岩 勉

3F
準備はいいか!!?

ウソップギャラリー海賊団
UGK
絶景かな絶景かな!!
ウソップギャラリー海賊団のお目見えだア!!!
(神奈川県　ハマネさん)
(石川県　I♡OPさん)
(中国　逃課偶皮さん)
謎多き、ルフィの憧れの男!! シャンクス!!
(大分県　EYEさん)
お前の背中を押してやる！ベロ・ベティ〜〜!!
大賞っ!!
サイン色紙贈呈!!
この屈強な奴らをみんなカワイくしちゃう能力なんなんじゃー!!
大賞もってけ——!!!

(中国　TalkOP Oscar卡卡醬さん)

え〜!! バギーが
かわいいわけがねェ!!!

(福島県　アルシーさん)

水着がまぶしい紅二点!!

(京都府　おぐみサン)

水に映るのは
ルフィの好きなもの!!

(岐阜県　伊藤健太郎さん)

刀で描いた〝和〟!! 見事っ!!

(埼玉県　ひぽアイアンさん)

みんながいればどこへ行っても大冒険!!

(福岡県　水口貴子さん)

生か死か！ 危険な外科医ロー!!

(奈良県　K-KIDさん)

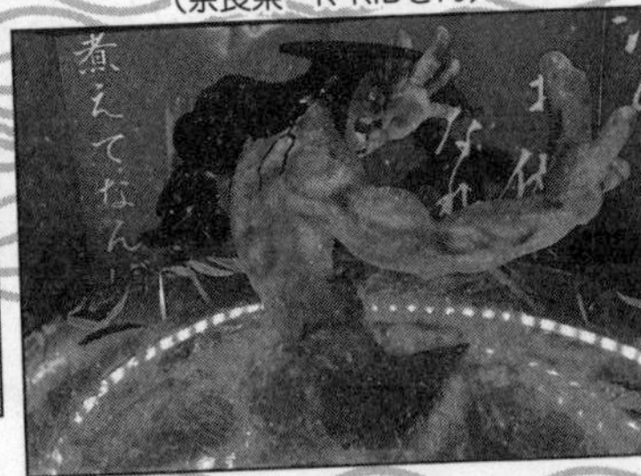

大迫力!! おでん釜茹でフィギュア〜!!

ご応募は尾田先生以外の第三者の作品を真似するなど、第三者の著作権やその他の権利を侵害していない、そのおそれがない作品に限ります。応募されました文章・イラスト等の著作権は応募者に帰属し、集英社が出版・電子配信する雑誌やコミックス等への掲載や、その他二次的な利用を許諾するものとします。編集の都合上、文章、イラスト等は一部変更されることがあります。なお、応募作品は返却いたしません。ペンネームでの掲載を希望する場合はその旨を明記してください。いただいた個人情報は本企画遂行以外の目的では使用しません。

（岐阜県　あやねサン）

なんとカワイイ色紙の一味!!

（三重県　SHooooTaさん）

将軍それは輝く存在!!

（千葉県　ジャパさん）

双龍図〰〰!! 大迫力!!

（兵庫県　岩鼻真吾さん）

おでんもきっと
認めてくれるさ!!

（中国　？さん）

何ともおシャレな
ゴーストプリンセス♡

（愛知県　ええやんサン）

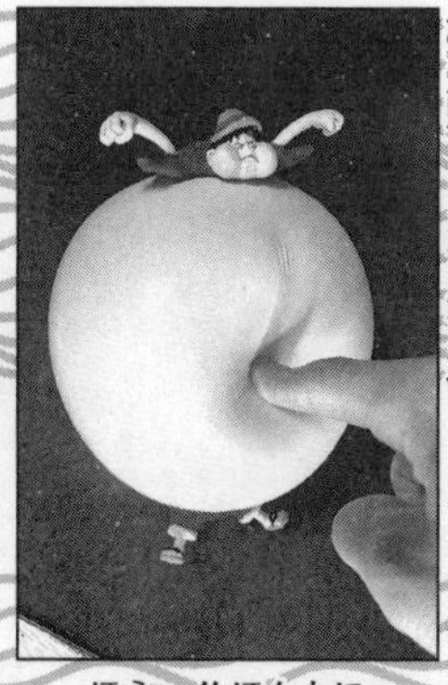

ほえー!! ほんとに
プニプニするフィギュア!!

（東京都　佐藤大輔さん）

即興でも息はぴったり天然コンビ!!

（広島県　しんしゅんサン）

シンプルデフォルメ！小紫と守護神達!!

（福島県　さいとーサン）

ONE PIECE

ブロッキーな麦わらの一味〜!!
カワイイ!!

UGK審査委員長
ウソップ様より注意点
必ずイラストや写真の裏に
直接、住所・氏名(P.N.)・年齢・電話番号を
書き込んでくれ!! P.N.表記は、はっきりと!!

（香港　カカさん）

大物発見!! 三兄弟!!

（中国　？さん）

こんな学校、
物騒で楽しそう!!

（東京都　〝偉大なる道路〟さん）

ONE
PIECE

男は背中で語るのさ…!!!

（栃木県　怒りゴリラさん）

フランキーの力強さ!! ウォー!!

（福岡県　やぎのぞみサン）

静かに構え大暴れ!! ヤマト!!

（福岡県　岡本将志さん）

強いの!? 弱いの!? 姑息なアプー!!

（東京都　D.Hinklayさん）

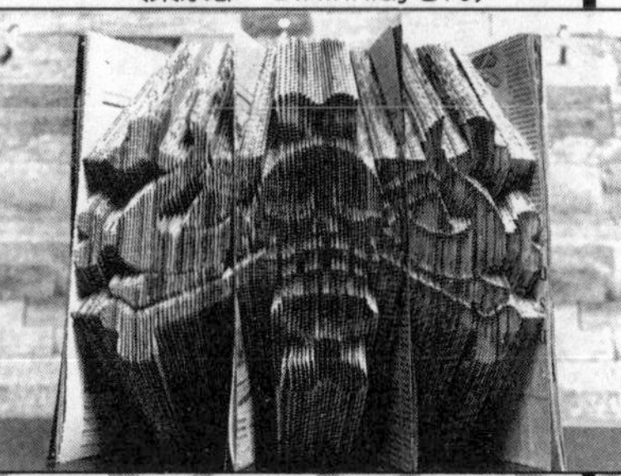

わかる!? ジャンプを折りまげて作ったカイドウのマーク!! すげー!!

（千葉県　まめちゃんサン）

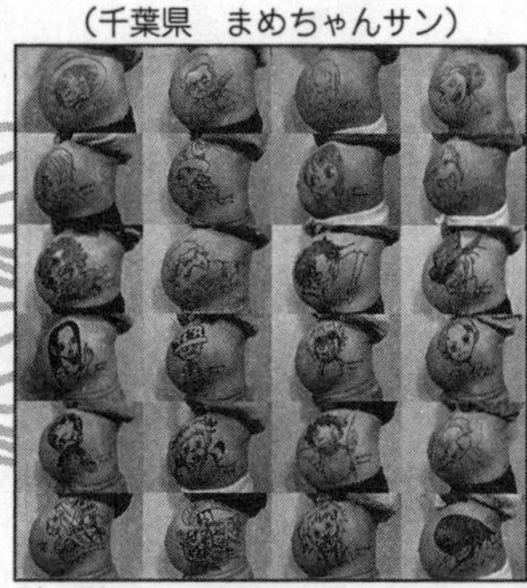

人の腹をキャンパスに!! アートだ!!

（三重県　モカ太郎さん）

見事な切り絵だ!! 美しい小紫!!

（中国　TalkOP瘋車さん）

静かなる闘気!! 気をつけろ!!

（福岡県　神代龍一さん）

勝って未来をかえるんだー!!

（神奈川県　HiRokiさん）

悪魔になろうと守りたいものがある!!

(千葉県　H・D・Sさん)

べべん!! 伝説の侍ィ〜!!

(東京都　HANAさん)

背中に人生!!
海賊女帝ハンコック!!

(東京都　藍ゴローさん)

20年待ってた戦士!!!

(中国　特拉仔吃面包さん)

コミカル調新世代!!
ヒヒヒ!!

続きはWeb版「ウソップギャラリー海賊団」!! 検索!!

・ここの掲載作品やもう少しで載るとこだった作品達が全部カラーで見れるぜ!!

アニメ関係はこっちだよ!
〒178-8567
東京都練馬区東大泉2-10-5
東映アニメーション 企画営業部
「ONE PIECE」係
まで!!

(広島県　Aikoさん)

↑声優さんやアニメスタッフに届くぜー!!

(広島県　やさいぱんサン)

SBS・漫画関係全部こちらへ
〒119-0163
東京都 神田支店
郵便私書箱66号
集英社JC ONE PIECE
「SBS!!ウソップギャラリー海賊団」係
P.N.表記はハッキリと!!
イラスト・写真の裏に住所氏名・年齢・電話番号を直接!!

↑質問・イラスト・お手紙原作者に届くぜー!!

いざ、思い出の真っ只中へ——

　※画面は開発中のものです。